피탄 구역
소화를
서둘러라!!

기지 사령관
마넬리 준장은
아직 연락이
안 되는
건가?!

1호기
파일럿은
누군가?!

테스트
파일럿인
코우 우라키
소위입니다

2호기 탈환은
다른 MS에
맡기고

바로
물러나라!

우라키
소위!
알비온의
시나푸스다!

6

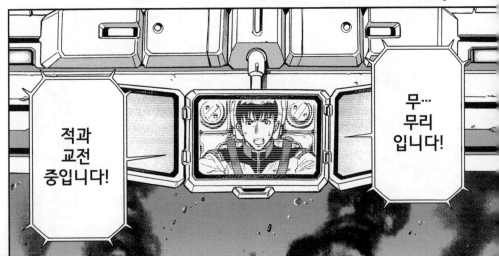

적과
교전
중입니다!

무...
무리
입니다!

12

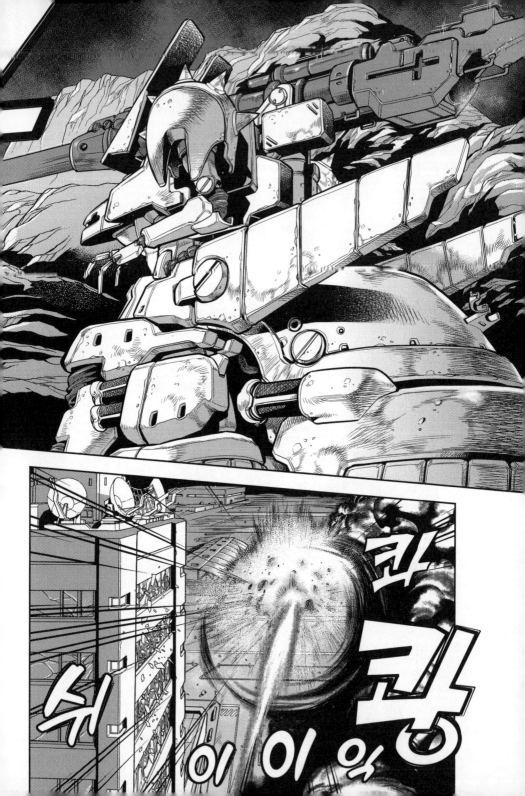

20

뭐…

뭔가
무기가──…

22

그걸 명심해!

전장에선 겁에 질린 놈부터 운에게 버림받지

운이 다하면 죽음 뿐이다

예… 옛!

이제부터 우린 탈취당한 2호기 탈환을 위해 추격한다

적은 후퇴했다

무기와 탄약 장비를 확인! 서둘러!

괜찮냐? 코우!

추가 장갑은 쓸데없는 것 아닐까?

저래서는 기동력이 짐보다도 떨어지지 않아?

......

당신이 지적한대로 라고!

그러니까!!

인정해…

응?

방금 전의 전투로 확인했어요!

그 장갑으로는 기동력 저하 리스크가 크다는 걸 인정한다고요!

그러니까 이제부터 그 리스크인…

복합 장갑을 강제 해제 합니다!

37

38

제10화 「우주로…」

우웅

스콧! 지온 회수정은?!

예상 강하 포인트로 칼렌트 소대가 향하고 있습니다

흐음…

설마 하니… 핵탄두째로 시제기를 훔쳐가리라곤…

로저!

추격에 나선 버닝 소대에도 포인트 좌표를 알려주게!

옛!

모리스! 부근에 전개하고 있는 아군에도

지원 요청을 보내 둬

아…

답신! 왔습니다!

어디 패트롤 부대인가?

반응이 빠르군

아뇨… 그게 답신은

특무대에서 보낸 것 같습니다

특무대라고?! 어찌 된 일이야?!

음…

아무리 지온 셔틀을 포착한 상황이라곤 해도…

상세한 건 불명이지만

이미 공수부대가 출격했다고 합니다

55

움직임이 너무나도 빨라

우 우 우 웅

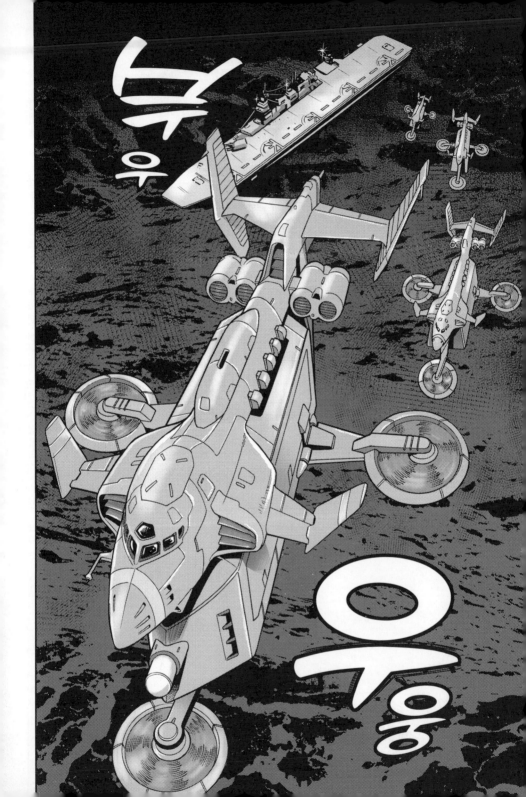

저기…
키스!
커크스는?

응?

커크스가
안 보이는데
——…

부상당한
건가?

커크스는
당했어

행거를
나선…
직후에
말이지

돔의
사벨에…

……

흔적도
안 남을 정도로
산산조각났어

커크스가
……
당했다고?

전사
——…

전사한 건가
——…

정신들 차려! 이 일대는 매복하기 딱 좋은 곳이다

한 마디로 말하면! 진 주제에 미련이 남았단 기지!

왜 이제 와서 핸타두 따윌 노린 걸까?

그건 그렇고 지온 놈들은

코우─!!!

저… 적이 있다는 겁니까?!

키스! 우라키!

앨런! 너무 겁주지 마

평소 하던 대로 하면 된다!

네놈들이 당하게는 안 해!

그러려고 내가 있는 거다!

예… 옛!

버닝 대위님!

우린 이제부터 앞서 추격에 나선 칼렌트 소대와

합류해서… 빼앗긴 2호기를 되찾아 온다!

옛!

예…옛

고정하고 나서
바로 우주로
올라갑니다

어스노이드도
아니고!

아부는
됐다!

무차별로
쏴대다니!

공수부대의
증원이 온다는
말 같은 건
들은 적 없다고!

떨어져라!

79

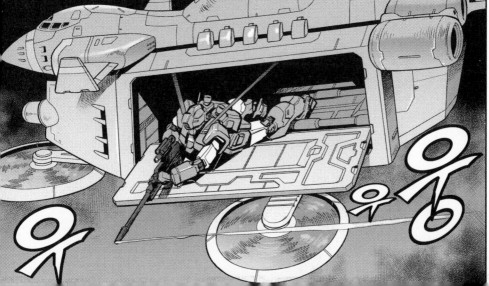

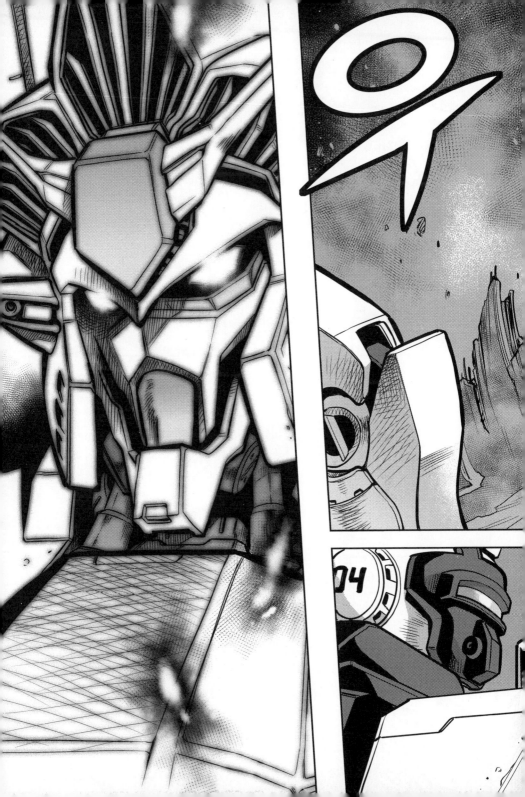

88

뭐야
저 MS는
──…?

쫄지 마!
고작해야
MS 1기다!

소령님!

코무사이는 이제 글렀습니다

U-801과 합류하는 것이 상책입니다

소령님을 우주로 보내드릴 수단은 얼마든지 있습니다

음...

솔로몬의
악몽 ——···

아나벨 가토
——···

0079.12.31
아 바오아 쿠
공방전에서
생사 불명——···

0079.12.24
솔로몬
공역 전투
전함 8척을
격침

뭐하고 있나!
멈추지 마라
우라키!

큰일났네
이건…

특히
저 신참 소위한텐
가혹한 상황이야.

그걸
의식하는
것만으로도
위험한데…

적 MS에도
인간이 타고
있잖아

오픈 통신으로
적의 정체를
알게 되는 것

뭐가
큰일인데?

아나벨 가토였다니… 그야말로 악몽이네

더군다나 그 적이 현대전사에 실릴 만큼 유명한

지온 에이스 파일럿

왜?

'가토'?

가토라고 했어?

아, 아니! 아는 사람하고 이름이 같아서

잠깐 놀랐을 뿐이야.

서둘지 않으면
건담의 전투가
시작한단 말야!

그보다는
쫓아갈 수
있을까?

넌
건담 일이라고
하면

시스템
엔지니어로서의
의무입니다

행동력이
엄청나져

그래도
여기가
전장이란
것만큼은

잊으면
안 돼

의무… 란
말이지

특히 저 신참 소위도

그걸 이해할 수 있으면 좋으련만…

부웅

전멸 이라고 ──?!

특무부대의 나이트 시커 6기가 모조리…

125

짐…
맞지?

어느
부대려나?

RGM-79V
'나이트 시커'
특무부대 사양
배리에이션
기체다

크슝

크슝

적의 모습이 보이질 않습니다

저흰 어떡해야 ──…

칼렌트 ──…

전투가 이 정도로 격렬했으니 적도 멀쩡할 순 없겠지

하다못해 탄약이라도 바닥을 드러냈을 터

상대가 누구이건 간에 승기는 있다!

셔틀을 잃은 적은 자기 편 잠수함과 합류할 생각일 것이다

전원 연습용 스틱을 꺼내!

맵 넘버 103!

하지만 잠수함이 접근할 수 있는 해변은 한정되지

종합적으로 생각할 때 적은 이 지점에서 회수정을 기다린다고 예상할 수 있다

내 감이 그렇다고 알려주고 있어!

아나벨 가토가 저곳에…

로저!

추격을 속행한다!

나하고 우라키! 앨런하고 키스! 두 팀으로 나눠

콜로니 암초 공역

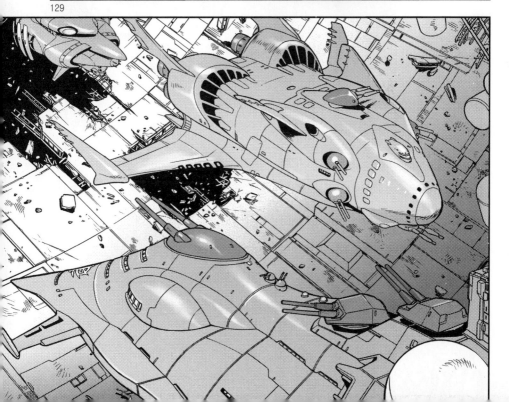

귀공의
시마 함대에

한때는
서로 갈라
서기도
했으나

본디
같은 대의를
내걸었던
동포로서

델라즈 플리트
참가를
요청하고자 한다!

과연
정보가
빠르군

아무래도
각하께선
지구에서
책동을
시작하셨거나

그러고자
하는
요청이라
여겨도
될는지?

131

현지의
잔존 부대와 함께
뭔가 요란하게
시작했다…

아뇨,
알고 있는 정보는
일부입니다

정도——
——죠

그 가토 소령이
오스트레일리아로
내려갔고

이
작전은
분명

산산히 흩어진
스페이스노이드의
마음을
다시 하나로
이뤄내겠지

현재
델라즈 플리트의
작전을
발동한 상태다

하루살이
——···
인가요

시마
중령
——···

그대도
언제까지건
하루살이처럼

우주를
방황하고
있어서야
되겠나

확실히 저희는
B급 전범
해병대라고

외면 당하고
따돌림
받아왔습니다

가토 건
말입니다

정보를
연방에 흘린 것이
들킨 줄 알았습니다

하아?
그게
뭔 소리야

그와덴과
일전을
겨루나 싶어
조마조마
했습니다요!

흠...

이제야 간신히
시마 함대에도
운이 트일 참인데!

쓸데 없는 걸
입에 담는 게
아니지
코셀!

델라즈
플리트에
편입하는 것
말입니까요?

아아!
그렇지

시마님

키스, 멈춰

앗...

적입니까? 앨런 중위님

이래서야 피아 식별조차 곤란하다고

백병전보다도 더 난감한 상황이야

뭔가 반응이 있었어

아나벨
가토……

건담
2호기…

!?

외장을
떼어낸
1호기인가…

삐빅

네놈한텐
충고했을
텐데

이 나를 상대 하기에는

네놈은 아직 미숙하다고!

미숙하다고 했겠다…!

또———…

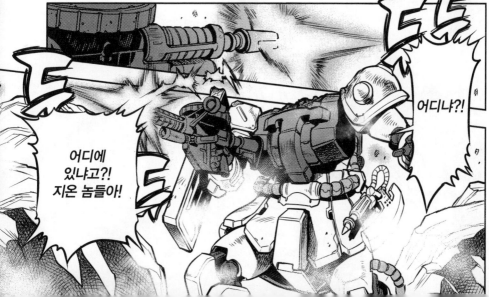

어디에 있냐고?! 지온 놈들아!

어디냐?!

함장님!

전투가
벌어진 것 같습니다
해안에서
상당히
가깝습니다!

가토 소령의
전과 기록이
경신될 참이려나

전투 섬광에 의지해 방향을 잡을 수밖에 없습니다

안개는 걷힐 것 같지 않군

할 수 없지. 회수정을 내라

158

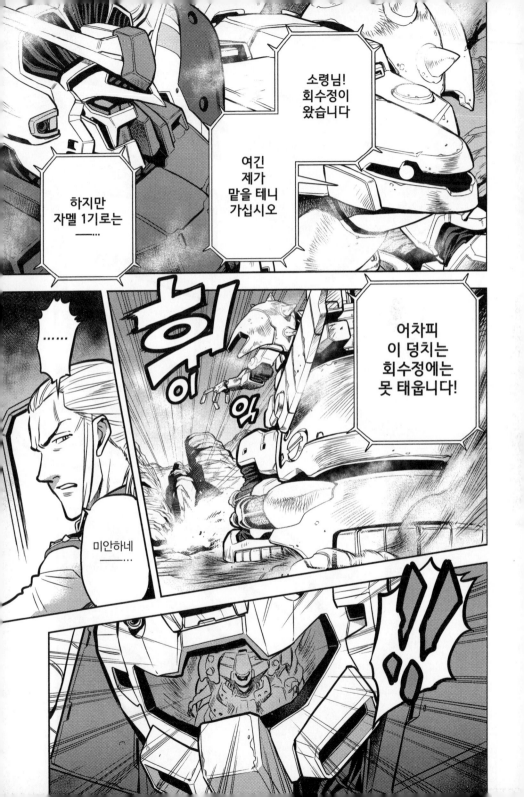

아닛?!

나를 발판으로—…

174

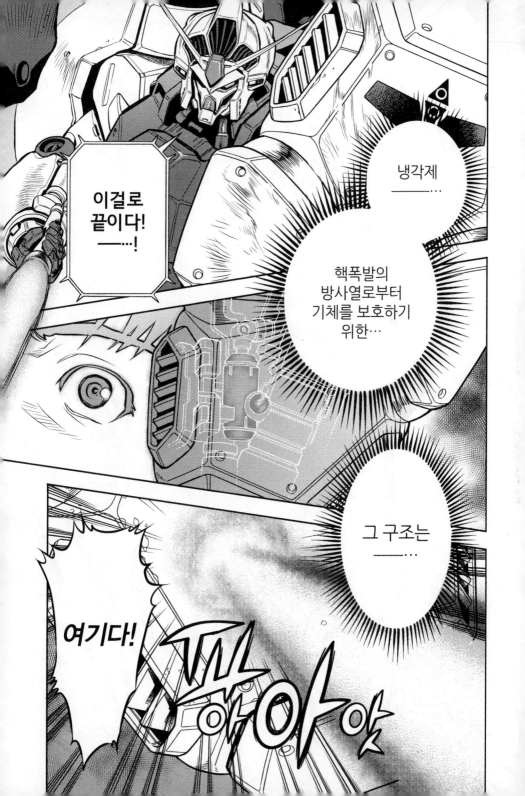

대위님!

버닝
대위니임!

앨런!
키스!

네녀석들
무사했구나!

기다리
십시오

바로
내려드리겠
습니다

제기랄…
다리가
움직이질 않아
——…

우

우

웅

슬슬
밑의 전투는
끝이 날
시간인가?

예

탁

결국엔
추격은 실패
핵탄두는
어딘가로…

…가
되었습니다

귀찮은
전개가
되었네
——…

MOBILE SUIT
GUNDAM
0083
REBELLION

연방군의
정식 발표는
없지만

범인은
지온군 잔당이라
자칭했다고도 하며
현장은 혼란스러운
상황입니다

189

대장님…

제대하고 나서 난 여기저기 전투지를 보며 돌아다녔어

그리고 전쟁을 없애기 위해 자신이 해야 할 일은 무엇인가?

무력을 지닌 우리들이 벌였던 행위의 댓가를 묻기 위해…

이 오스트레일리아의 그라운드 제로로…

결국엔 여기로 돌아오고 말지. 1년전쟁이 시작된 땅 ——…

그래도 답은 찾지 못했고

저것들은 모두 콜로니 낙하지를 가리키고 있어

이 황무지의 바위가 일정한 방향으로 기울어져 있는 것을 봤겠지

——…

처건
전쟁의
어리석음을

상징하는
기념비야

그래도
—…

그래도 전
군을 떠날 순…
떠날 수는
없습니다!

……!

아버지도
군인이었
어요!

제 꿈은
아버지처럼
훌륭한 군인이
되는 것이고요!

미안해,
노엘

널
책망할 생각은
없어…

단지 사람에겐
저마다 역할이
있다는 말을
하고 싶어

—…
알겠습니다

MOBILE SUIT

GUNDAM
0083
REBELLION

기동전사 건담 0083 REBELLION ③

2017년 6월 30일 초판 1쇄 발행

만화 나츠모토 마사토
원작 토미노 요시유키 · 야타테 하지메
협력 선라이즈

펴낸이 원종우
펴낸곳 길찾기
주소 (13814) 경기도 과천시 뒷골1로 6, 3층
전화 02 3667 2653~4   팩스 02 3667 2655   메일 edit01@imageframe.kr   웹 http://imageframe.kr

ISBN 979-11-6085-041-3 07830 (3권)
가격 8,000원

MOBILE SUIT GUNDAM 0083 REBELLION 3

MOBILE SUIT
GUNDAM
0083
REBELLION

나츠모토 마사토(夏元雅人)
원작 야다테 하지메(矢立肇)
토미노 요시유키(富野由悠季)
협력 선라이즈
콘셉트 어드바이저 이마니 시 타카시(今西隆志)